Colección libros para soñar®

© del texto: Marina Núñez, 2020
© de las ilustraciones: Avi Ofer, 2020
© de esta edición: Kalandraka Editora, 2020

Rúa de Pastor Díaz, n.º 1, 4.º B - 36001 Pontevedra
Tel.: 986 860 276
editora@kalandraka.com
www.kalandraka.com

Impreso en Gráficas Anduriña, Poio
Primera edición: julio, 2020
ISBN: 978-84-1343-009-6
DL: PO 149-2020

MIXTO
Papel procedente de
fuentes responsables
FSC® C104983

MARINA NÚÑEZ AVI OFER

ATRAPAMIRADAS

Kalandraka

Hoy Vera se ha levantado animada,
dispuesta a encontrar una solución
de una vez por todas.

Hace ya tiempo que anda preocupada y esta mañana,
por fin, ha decidido salir a atrapar miradas.

Se cruza con mucha gente, pero...
¿¡miradas!? no encuentra ninguna.

Solo a veces atrapa alguna mirada cómplice
de otras niñas y niños.

–¡Buena suerte!
–¡Ánimo!

hola

Y Vera piensa:

«Si los mayores no observan ni disfrutan
de las cosas más maravillosas,
¿cómo podré conseguir que me miren?».

En casa tampoco hay manera.

Algo les impide alzar la vista
por más de unos segundos.

Sus padres incluso han desarrollado una misteriosa técnica
para saber qué hace Vera sin ni siquiera mirarla:

–¡Deja eso, que lo vas a romper!

Pero... ¿qué puede hacer ella
para recuperar las miradas?

Vera lo intenta gritando,
pero no consigue nada.

A veces, capta su atención,
pero no son ellos quienes la miran.

Intenta acabar con las distracciones,
pero las miradas que recibe no son las que busca.

Los días pasaban, y seguía sin conseguir su objetivo,

y una desagradable sensación le fue creciendo en el pecho.

Así que se fue a buscar a la única persona
que sabía que podía ayudarla:

su abuela Marga.

La abuela siempre tiene miradas para ella,
aunque dice que ya no ve muy bien.

Escucha todas sus historias,
aunque dice que ya no oye como antes.

Y nunca tiene prisa
ni mil cosas por hacer.

Así que decidieron pasar la tarde preparando juntas un plan.

¡Aquello tenía que funcionar!

–¡Jugad con nosotras y descubriréis algo increíble!
–decían a voces.

–Si os miráis a los ojos el máximo tiempo posible,
¡os llevaréis una bonita sorpresa!

Algunas personas, intrigadas, empezaron a jugar.
Y, casi sin darse cuenta,
se fueron encontrando con las miradas de los demás.

¡Era increíble!
¡El plan había funcionado!

Cuando Vera llegó a casa, emocionada,
les contó a su madre y a su padre lo que había pasado.

En ese momento, sucedió lo que ella había estado buscando durante tantos días... y lo que más necesitaba.

Y aquella sensación tan desagradable
que le oprimía el pecho desapareció...